荣寶斋畫谱

花 鸟 部 分

孙 其 峰 绘

荣寶斋出版社
北京

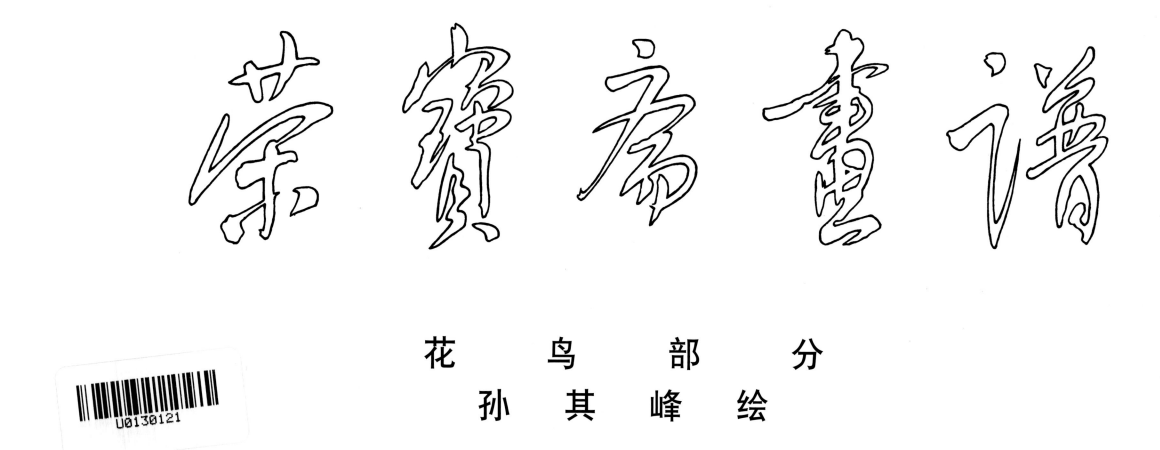

图书在版编目（CIP）数据

荣宝斋画谱． 孙其峰绘． 花鸟部分／孙其峰著．
－北京：荣宝斋出版社，2017.3（2024.5 重印）
ISBN 978-7-5003-1924-5

Ⅰ．①荣… Ⅱ．①孙… Ⅲ．①花鸟画－作品集－
中国－现代 Ⅳ．① J212

中国版本图书馆 CIP 数据核字（2016）第 149455 号

RONGBAOZHAI HUAPU (218) SUN QIFENG HUI HUANIAO BUFEN
荣宝斋画谱 （218） 孙其峰绘花鸟部分

作　　　者：孙其峰
编辑出版发行：荣寶齋出版社
地　　　址：北京市西城区琉璃厂西街19号
邮 政 编 码：100052
制　　　版：北京荣宝燕泰印务有限公司
印　　　刷：鑫艺佳利（天津）印刷有限公司

开本：787毫米×1092毫米　1/8　印张：6
版次：2017年3月第1版　印次：2024年5月第2次印刷
定价：58.00元

榮寶齋畫譜題詞

畫譜的刊行，我們拍掌歡迎。近代作畫的不讀芥子園畫譜是例外，好像作詩詞的不讀唐詩三百首和白香詞譜是例外一樣。古人說：不以規矩不能成方圓，這話講出了真理。就是我們搞任何學問要老老實實先搞基本訓練，便宜走捷徑是不能成為大器的。榮寶齋畫譜保留了中國歷代畫學的傳統，又照顧到各時代的流派，且着重具有生活氣息，而製作者又係現代名手，可以肯定說他的水平大大超過舊譜以上，值得歡迎，值得介紹，祝譜學新生，祝畫學大發展！

陳毅

一九六二年一月

孙其峰（一九二〇—二〇二三），山东招远人，曾用名奇峰，别署双槐楼主、求异存同斋主。少年时从家乡塾师郝子正及高文亭先生学习书法。一九三五年夏考入招远县中学，从师莱阳人徐人众先生学习书画。一九四一年向舅父王友石先生学习中国绘画。一九四七年毕业于『国立北平艺专』，师从黄宾虹、徐悲鸿、汪慎生、王友石、秦仲文、溥松窗、罗复堪、寿石工、金禹民等先生。一九五二年调入艺术师范学院美术系（天津美术学院前身），一直担任行政工作，从系秘书到系主任再到副院长，同时又忙于教学，并坚持写字作画。曾为中国美术家协会理事、中国书法家协会理事、中国画研究院院务委员、天津美术家协会名誉主席、天津市政协常务委员会委员等职，中国美术教育家。

继往开来一名师

秦岭云

孙其峰先生，名扬京津，四海同称，是一位大家非常熟悉、热爱的画家、美术教育家。几十年来，他对中国绘画刻苦研究、实践，并通过创作、教学、出版、展览取得令人注目的成就。

他的画，理法谨严、形象真实、笔墨苍健、拙巧互用、墨胜新色、章法丰富、书意强烈……熔古今于一炉，根老蕾新，古朴中见雅趣，读之如吃了橄榄，耐人寻味。他的画不似浓妆艳抹而媚俗，不以奇形怪状而欺世，于平淡端庄中见气韵。画风受到人们普遍喜爱，因为它体现的是源远流长的中华民族的美学传统，与邪魔外道不可同日而语。

说来，画家们的审美观念和表现语言总会一变再变，在不断修正中前进。其峰早年起步时，一脑子崇古感情，相信当时流传的所谓『宋元至上论』，学花鸟认定明清之交的几位大家，轻视『海派』，甚而连任伯年也不屑一顾，终日一心摹古，拜倒在陈白阳、徐青藤、恽南田、华新罗……足下。直到一九四四年，进入北平艺专学习，接触到大师徐悲鸿，旧观念方才动摇。开始追求写实，重视写生，结合以往对明人林良、吕纪作品摹写的基础，在刻画形象上取得突破，适当吸收西法，促成『应物象形』功力上的跃进。艺术进入了一个新阶段。

不料近来，这位象形能力最强的老手，却也说出一句几乎背叛自己赖以成功的怪话。他说：『变形比写实要高一档』，话虽只是一句，却透露出他观念上发生了轻微的地震。绘画上具象与抽象的微妙关系以及发展前景，本是画家们的共同课题，要求每人作出自己的答案。『没有方向的前进是没有希望的。』他的这句话，我很同意。希望这是一个值得注意的信息，它宣告老画家孙其峰将会举起变法的新旗。

他一向崇古，但并不泥古不化，而是积极倡导推陈出新的实干者。他主张学传统要『挑肥拣瘦』『取其精华』『在传统基础上稳扎稳打』，反对『在一夜之间摇身一变，另起炉灶』。当前中国画家们关心推陈出新已成时尚，但说说容易，真要做时如何推如何出并不简单。关键在观念上敢破敢立，语言技法上敢探索实践，变形与否，一末端耳。至于变形，如何变法，大有文章，不是说变就变，胡变乱变就万事大吉。其峰同志大声疾呼『反对丢掉传统另起炉灶』。作为画家、美术教育家语重心长，言词何等中肯、态度何其明朗！

幸识孙其峰教授在二十多年前，当时都在文化部国画创作组活动。他给予人最强烈的印象是：一位勤奋、谦虚、平易、热情而健谈的人。他那未老先白的头发，度数不轻的近视眼，和笑口常开的面孔，令人望之可亲，见而不忘。

因为是北平艺专前后同学，见面不久，就彼此无话不谈了。于是得知他是山东招远县人，从小迷画，接受过他舅父画家王友石的熏陶，在一家布店当过学徒，后来考入『国立北平艺专』，认识了大师徐悲鸿，等等。在天津美院和美协从事教学和社会活动已经几十年之久了，而今桃李满天下，门下高徒不少，『津门二孙』：孙克纲、孙其峰已是大名赫赫的艺苑人物。他勤学、好问、善说。无时不读，无时不画，手不释卷，手不停挥，每逢作画，且画且说，此为何花何鸟，形态特征如何，说得头头是道。碰见花木禽兽，也要问个明白方休，可以看出他的学习、创作和课堂教学的认真态度。

他名高如山，却无一丝傲世恶习，平易待人，一如往昔，反对文人相轻，从不论人长短。

这本画集是一座里程碑，它铭刻着画家多年的创造性劳动。

目录

春晴（局部）

春晴

雉鸡

春林

雉鸡（局部）

双鱼鹰

双鱼鹰（局部）

春林益羽

孤鸳图

红叶苍鹰

春浓

春浓（局部）

育雏

倦游小憩

春江水暖

秋塘白鹭

双宿图

伴侣

芙蓉翠鸟（局部）

芙蓉翠鸟

鹤春

灰鹤

戏雪

知秋

双鸭图

荷塘秋趣

春风翠羽

鸳鸯卧雪

听雨

白羽振翅

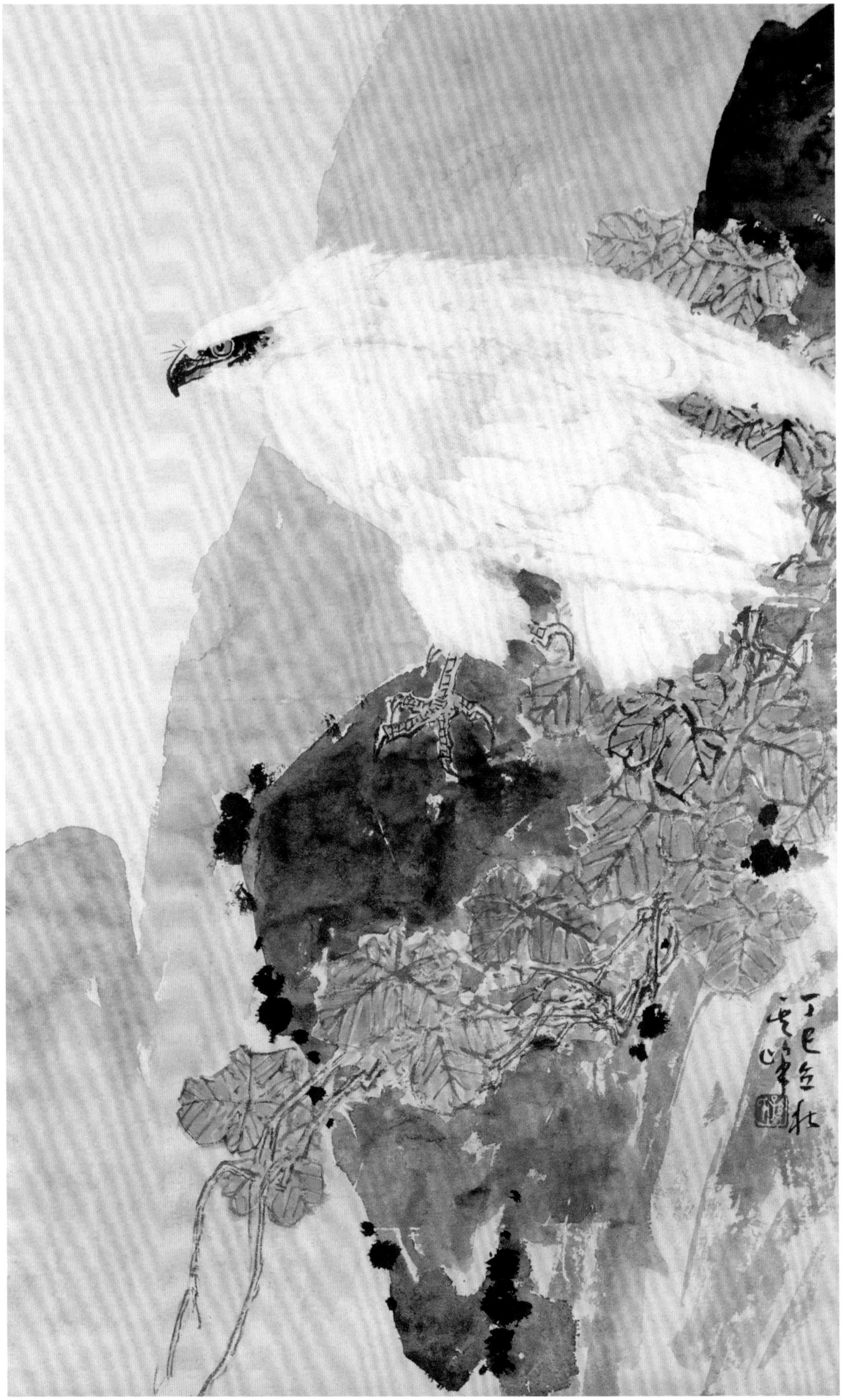

雄视（局部）

雄视

春意十分
己巳秋

梅竹山鹊

白梅双鸠

梅鹤图

苍鹰

远瞩

树医生

戴胜

白头翁

杏花斑鸠

双寿图

大吉图

泽畔双禽

鸭群

泽畔双禽（局部）

泽畔双禽（局部）

白头偕老

春意初酣

梅竹斑鸠

春意初酣（局部）

篱边

湖边双凫

篱边（局部）

秋鹑（局部）

取南田之秀合新羅之蒼亦不廢己意參而用之自可別具一格也
壬戌中秋節後五日題二十年前舊作 其峰時年六十又二

秋鹑

荣寶斋畫谱

二一八

花鸟部分

孙其峰绘

荣寶斋出版社